在庆祝香港回归祖国二十周年大会暨香港特别行政区第五届政府就职典礼上的讲话

（2017 年 7 月 1 日）

习 近 平

人 民 出 版 社

目　录

在庆祝香港回归祖国二十周年大会暨香港特别行政区第五届政府就职典礼上的讲话

（2017 年 7 月 1 日）

习　近　平

同胞们，朋友们：

今天，我们怀着喜悦的心情，在这里隆重集会，庆祝香港回归祖国 20 周年，举行香港特别行政区第五届政府就职典礼。

首先，我代表中央政府和全国各族人民，向全体香港居民，致以诚挚的问候！向新就任的香港特别行政区第五任行政长官林郑月娥女士，向香港特别行政区第五届政府主要官员、行政会议成员，表示热烈的祝贺！向所有关心支持香港的海内外同胞和国际友人，表示衷心的感谢！

此时此刻，站在经过岁月洗礼、发生沧桑巨变的香江之滨，我们抚今追昔，感慨万千。

香港的命运从来同祖国紧密相连。近代以后，由于封建统治腐败、国力衰弱，中华民族陷入深重苦难。19 世纪 40 年代初，区区一万多英国远征军的入侵，竟然迫使有 80 万军队的清朝政府割地赔款、割让香港岛。鸦片战争之后，中国更是一次次被领土幅员和人口规模都远远不如自己的国家打败，九龙、“新界”也在那个时候被迫离开了祖国怀抱。那时的中国历史，写满了民族的屈辱和人民的悲痛。只有当中国共产党领导中国人民经过艰苦卓绝的奋斗赢得民族独立和解放、建立新中国之后，中国人民才真正站立起来，并探索开辟出一条中国特色社会主义光明道路。上世纪 70 年代末以来，我们进行改革开放，经过近 40 年努力，开创了中华民族发展崭新局面。

在改革开放的历史条件和时代背景下，邓小平先生提出了“一国两制”伟大构想，并以此为指引，通过同英国的外交谈判，顺利解决了历史遗留的香港问题。20 年前的今天，香港回到祖国的怀抱，洗刷了民族百年耻辱，完成了实现祖国完全统一的重要一步。香港回归祖国是彪炳中华民族史册的千秋功业，香港从此走上同祖国共同发展、永不分离的宽广道路。

同胞们、朋友们！

斗转星移，岁月如梭。香港已经回归祖国 20 年。依照中国的传统，男子二十谓之弱冠，今天就是香港特别行政区的成年礼，正所谓“如竹苞矣，如松茂矣”。回首香港特别行政区的成长历程，我们可以自豪地说，20 年来，香港依托祖国、面向世界、益以新创，不断塑造自己的现代化风貌，“一国两制”在香港的实践取得了举世公认的成功。

——回到祖国怀抱的香港已经融入中华民族伟大复兴的壮阔征程。作为直辖于中央政府的一个特别行政区，香港从回归之日起，重新纳入国家治理体系。中央政府依照宪法和香港特别行政区基本法对香港实行管治，与之相应的特别行政区制度和体制得以确立。香港同祖国内地的联系越来越紧密，交流合作越来越深化。香港各界人士积极投身国家改革开放和现代化建设，作出独特而重要的贡献。香港同胞对国家发展和民族复兴的信心不断增强，同内地人民共享伟大祖国的尊严和荣耀。

——回到祖国怀抱的香港继续保持繁荣稳定。回归后，香港自身特色和优势得以保持，中西合璧的风采浪漫依然，活力之都的魅力更胜往昔。在“一国两制”之下，香港原有资本主义制度和生活方式保持不变，法律基本不变。香港同胞当家作主，自行管理特别行政区自治范围内事务，香港居民享有比历史上任何时候都更广泛的民主权利和自由。香港抵御了亚洲金融危机、非典疫情、国际金融危机的冲击，巩固了国际金融、航运、贸易中心地位，继续被众多国际机构评选为全球最自由经济体和最具竞争力的地区之一。香港各项事业取得长足进步，对外交往日益活跃，国际影响进一步扩大。

实践充分证明，“一国两制”是历史遗留的香港问题的最佳解决方案，也是香港回归后保持长期繁荣稳定的最佳制度安排，是行得通、办得到、得人心的。

同胞们、朋友们！

“一国两制”是中国的一个伟大创举，是中国为国际社会解决类似问题提供的一个新思路新方案，是中华民族为世界和平与发展作出的新贡献，凝结了海纳百川、有容乃大的中国智慧。坚持“一国两制”方针，深入推进“一国两制”实践，符合香港居民利益，符合香港繁荣稳定实际需要，符合国家根本利益，符合全国人民共同意愿。因此，我明确讲过，中央贯彻“一国两制”方针坚持两点，一是坚定不移，不会变、不动摇；二是全面准确，确保“一国两制”在香港的实践不走样、不变形，始终沿着正确方向前进。

作为一项前无古人的开创性事业，“一国两制”需要在实践中不断探索。当前，“一国两制”在香港的实践遇到一些新情况新问题。香港维护国家主权、安全、发展利益的制度还需完善，对国家历史、民族文化的教育宣传有待加强，社会在一些重大政治法律问题上还缺乏共识，经济发展也面临不少挑战，传统优势相对减弱，新的经济增长点尚未形成，住房等民生问题比较突出。解决这些问题，满足香港居民对美好生活的期待，继续推动香港各项事业向前发展，归根到底是要坚守方向、踩实步伐，全面准确理解和贯彻“一国两制”方针。借此机会，我对今后更好在香港落实“一国两制”谈几点意见。

第一，始终准确把握“一国”和“两制”的关系。“一国”是根，根深才能叶茂；“一国”是本，本固才能枝荣。“一国两制”的提出首先是为了实现和维护国家统一。在中英谈判时期，我们旗帜鲜明提出主权问题不容讨论。香港回归后，我们更要坚定维护国家主权、安全、发展利益。在具体实践中，必须牢固树立“一国”意识，坚守“一国”原则，正确处理特别行政区和中央的关系。任何危害国家主权安全、挑战中央权力和香港特别行政区基本法权威、利用香港对内地进行渗透破坏的活动，都是对底线的触碰，都是绝不能允许的。与此同时，在“一国”的基础之上，“两制”的关系应该也完全可以做到和谐相处、相互促进。要把坚持“一国”原则和尊重“两制”差异、维护中央权力和保障香港特别行政区高度自治权、发挥祖国内地坚强后盾作用和提高香港自身竞争力有机结合起来，任何时候都不能偏废。只有这样，“一国两制”这艘航船才能劈波斩浪、行稳致远。

第二，始终依照宪法和基本法办事。回归完成了香港宪制秩序的巨大转变，中华人民共和国宪法和香港特别行政区基本法共同构成香港特别行政区的宪制基础。宪法是国家根本大法，是全国各族人民共同意志的体现，是特别行政区制度的法律渊源。基本法是根据宪法制定的基本法律，规定了在香港特别行政区实行的制度和政策，是“一国两制”方针的法律化、制度化，为“一国两制”在香港特别行政区的实践提供了法律保障。在落实宪法和基本法确定的宪制秩序时，要把中央依法行使权力和特别行政区履行主体责任有机结合起来；要完善与基本法实施相关的制度和机制；要加强香港社会特别是公职人员和青少年的宪法和基本法宣传教育。这些都是“一国两制”实践的必然要求，也是全面推进依法治国和维护香港法治的应有之义。

第三，始终聚焦发展这个第一要务。发展是永恒的主题，是香港的立身之本，也是解决香港各种问题的金钥匙。“一国两制”构想提出的目的，一方面是以和平的方式对香港恢复行使主权，另一方面就是为了促进香港发展，保持香港国际金融、航运、贸易中心地位。当前，发展的任务更应聚焦。少年希望快乐成长，青年希望施展才能，壮年希望事业有成，长者希望安度晚年，这都需要通过发展来实现。香港背靠祖国、面向世界，有着许多有利发展条件和独特竞争优势。特别是这些年国家的持续快速发展为香港发展提供了难得机遇、不竭动力、广阔空间。香港俗语讲，“苏州过后无艇搭”，大家一定要珍惜机遇、抓住机遇，把主要精力集中到搞建设、谋发展上来。

第四，始终维护和谐稳定的社会环境。“一国两制”包含了中华文化中的和合理念，体现的一个重要精神就是求大同、存大异。香港是一个多元社会，对一些具体问题存在不同意见甚至重大分歧并不奇怪，但如果陷入“泛政治化”的旋涡，人为制造对立、对抗，那就不仅于事无补，而且会严重阻碍经济社会发展。只有凡事都着眼大局，理性沟通，凝聚共识，才能逐步解决问题。从中央来说，只要爱国爱港，诚心诚意拥护“一国两制”方针和香港特别行政区基本法，不论持什么政见或主张，我们都愿意与之沟通。“和气致祥，乖气致异”。香港虽有不错的家底，但在全球经济格局深度调整、国际竞争日趋激烈的背景下，也面临很大的挑战，经不起折腾，经不起内耗。只有团结起来、和衷共济，才能把香港这个共同家园建设好。

同胞们、朋友们！

当前，我国正处在全面建成小康社会决胜阶段，全国各族人民正在为实现“两个一百年”奋斗目标、实现中华民族伟大复兴的中国梦而团结奋斗。不断推进“一国两制”在香港的成功实践，是中国梦的重要组成部分。群之所为事无不成，众之所举业无不胜。我们既要把实行社会主义制度的内地建设好，也要把实行资本主义制度的香港建设好。我们要有这个信心！

今天，新一届特别行政区政府正式成立了，责任重大，使命光荣。未来5年，希望特别行政区政府广泛团结社会各界，全面准确贯彻“一国两制”方针，坚守“一国”之本，善用“两制”之利，扎扎实实做好各项工作。要与时俱进、积极作为，不断提高政府管治水平；要凝神聚力、发挥所长，开辟香港经济发展新天地；要以人为本、纾困解难，着力解决市民关注的经济民生方面的突出问题，切实提高民众获得感和幸福感；要注重教育、加强引导，着力加强对青少年的爱国主义教育，关心、支持、帮助青少年健康成长。

中央政府将一如既往支持行政长官和特别行政区政府依法施政；支持香港发展经济、改善民生；支持香港在推进“一带一路”建设、粤港澳大湾区建设、人民币国际化等重大发展战略中发挥优势和作用。中央有关部门还将积极研究出台便利香港同胞在内地学习、就业、生活的具体措施，为香港同胞到广阔的祖国内地发展提供更多机会，使大家能够在服务国家的同时实现自身更好发展，创造更加美好的生活。

我坚信，有伟大祖国作为坚强后盾，有中央政府和内地人民的大力支持，有回归20年积累的丰富经验和夯实的发展基础，有香港特别行政区政府和社会各界人士的团结奋斗，“一国两制”在香港的实践一定能够再谱新篇章，香港一定能够再创新辉煌！

谢谢大家。

在香港特别行政区政府欢迎晚宴上的致辞

（2017年6月30日）

习　近　平

行政长官梁振英先生，
候任行政长官林郑月娥女士，
同胞们，朋友们：

大家晚上好！时隔9年，重临美丽的香江，同大家共同庆祝香港回归祖国20周年，我感到十分高兴。在此，我代表中央政府和全国各族人民，向在座各位并通过你们，向全体香港居民致以诚挚的问候和良好的祝愿！

——岁月不居，时节如流。转眼间，香港特别行政区迎来20周年的生日。回想当年，游子回归母亲怀抱的一幕幕感人场景仍历历在目。我们还记得，香港政权交接时，中华人民共和国国歌雄壮奏响、中华人民共和国国旗和香港特别行政区区旗冉冉升起的神圣庄严。我们还记得，中国人民解放军驻港部队进驻时，香港同胞冒着瓢泼大雨热烈欢迎的兴奋激动。我们还记得，在喜迎回归的日子里，神州大地张灯结彩，男女老少载歌载舞，举国同庆的幸福欢乐。这些历史画面已成为全体中国人的集体记忆。

——春耕夏耘，万物生长。20 年间，“一国两制”在香港的实践，就像一棵幼苗，在风雨中茁壮成长，结出了累累硕果。中华人民共和国宪法和香港特别行政区基本法确立的特别行政区制度有效运作，民主政制依法推进，政府效能、法治水平等多项指标均比回归前大幅提升；经济平稳增长，竞争力和自由度在全球名列前茅；社会大局保持稳定，各项事业长足发展，人均预期寿命位居世界前列。这些成绩的取得，离不开中央和祖国内地的大力支持，但主要还是香港特别行政区政府和广大香港同胞团结奋斗的结果。在这里，我要为香港同胞点赞！为所有作出贡献的香港社会各界人士点赞！

——承前启后，继往开来。“一国两制”是中国的一个伟大创举。在统一的国家之内，国家主体实行社会主义制度，个别地区依法实行资本主义制度，这在过往的人类政治实践中还从未有过。前人用超凡的勇气探索和突破，后人要以坚定的信念实践和发展。前进道路并不平坦，但我们实行“一国两制”的初心不会改变，决心不会动摇。我们要以“长风破浪会有时，直挂云帆济沧海”的信心，以“千淘万漉虽辛苦，吹尽狂沙始到金”的恒心，推动“一国两制”在香港的实践取得更大成就。

在这里，我想对香港同胞讲“三个相信”。

第一，相信自己。中国人是了不起的。我们有5000多年源远流长的文明历史，是世界古代文明中唯一没有中断而延续至今的。在有史籍记载的多数时间里，中华民族在经济、科学、文化、艺术等诸多领域都走在世界前列，为人类文明进步作出过巨大贡献。尽管中国在近代以后落后了，但新中国成立以来，在中国共产党领导下，经过几代人艰苦卓绝的奋斗，中华民族已经巍然屹立在世界民族之林。香港从一个默默无闻的小渔村发展成为享誉世界的现代化大都市，是一代又一代香港同胞打拼出来的。香港同胞所拥有的爱国爱港、自强不息、拼搏向上、灵活应变的精神，是香港成功的关键所在。我要特别指出的是，香港同胞一直积极参与国家改革开放和现代化建设，作出了重大贡献。对此，中央政府和全国人民从未忘记。香港同胞不仅完全有能力、有智慧把香港管理好、建设好、发展好，而且能够继续在国家发展乃至世界舞台上大显身手。

第二，相信香港。香港发展具有很多有利条件和独特优势。香港经济高度自由开放，人员、货物、资金等要素自由流动，这是吸引国际资本、留住本地资本的重要因素。香港法律、会计、监管等制度同国际接轨，服务业完备，政府廉洁高效，营商环境便利，深得外来投资者信任。香港是重要的国际金融、航运、贸易中心，是连接内地和国际市场的重要中介，是国家“引进来”、“走出去”的双向服务平台。迄今香港仍是内地最大的外来直接投资来源地和境外融资平台，同时也已成为内地最大的境外投资目的地和全球最大的离岸人民币业务中心。更为重要的是，香港享有“一国两制”的制度优势，不仅能够分享内地的广阔市场和发展机遇，而且经常作为国家对外开放“先行先试”的试验场，占得发展先机。“沪港通”、“深港通”以及即将开通的“债券通”都在香港试点。香港只要巩固和提升这些优势，就一定能够留住并吸引各方投资和人才，在经济全球化和区域合作中把握机遇，促进本地创新创业，开发新的增长点，续写狮子山下发展新故事、繁荣新传奇！

第三，相信国家。不论是过去、现在还是将来，祖国始终是香港的坚强后盾。经过近 40 年改革开放，中国实现了从站起来到富起来再到强起来的伟大飞跃。目前，我国是全球第二大经济体，世界第一制造大国和货物贸易大国、第一外汇储备大国，是全球经济增长的最大贡献者。我国科技实力日益强大，高性能计算机、载人航天、探月工程、量子通信、北斗导航、载人深潜等尖端成就相继问世，高铁走向世界，自行研制的大飞机首飞成功。我们的朋友圈越来越大，倡导的亚投行已批准成员达 80 个，发起的“一带一路”倡议有 100 多个国家、地区和国际组织积极参与。一个多月前在北京举行的“一带一路”国际合作高峰论坛取得圆满成功，中国倡议引领世界发展，为推动构建人类命运共同体注入强劲动力。祖国日益繁荣昌盛，不仅是香港抵御风浪、战胜挑战的底气所在，也是香港探索发展新路向、寻找发展新动力、开拓发展新空间的机遇所在。国家好，香港会更好！

同胞们、朋友们！

正如香港一首流行歌曲中唱到，“自信好要紧，应该放开胸襟，愿望定会一切都变真”。只要我们相信自己、相信香港、相信国家，坚持全面准确贯彻落实“一国两制”、“港人治港”、高度自治的方针和香港特别行政区基本法，聚精会神搞建设，一心一意谋发展，齐心协力、团结奋斗，就一定能够开创香港更加美好的明天。

我提议：

为国家繁荣富强和中华民族伟大复兴，

为香港长期繁荣稳定，

为在座各位朋友及家人的健康，

干杯！

图书在版编目(CIP)数据

在庆祝香港回归祖国二十周年大会暨香港特别行政区第五届政府就职典礼上的讲话/习近平.—北京:人民出版社,2017.7
ISBN 978-7-01-017941-4

Ⅰ.①在… Ⅱ.①习… Ⅲ.①习近平-讲话②方针政策-香港
Ⅳ.①D2-0②D676.582

中国版本图书馆 CIP 数据核字(2017)第 160060 号

(RMC-ZJDXI-050-20170701)

在庆祝香港回归祖国二十周年大会暨香港特别行政区
第五届政府就职典礼上的讲话
ZAI QINGZHU XIANGGANG HUIGUI ZUGUO ERSHI ZHOUNIAN DAHUI
JI XIANGGANG TEBIE XINGZHENGQU DIWUJIE ZHENGFU
JIUZHI DIANLI SHANG DE JIANGHUA

(2017 年 7 月 1 日)

习 近 平

人民出版社 出版发行
(100706 北京市东城区隆福寺街 99 号)

北京新华印刷有限公司印刷 新华书店经销

2017 年 7 月第 1 版 2017 年 7 月北京第 1 次印刷
开本:880 毫米×1230 毫米 1/32 印张:0.75
字数:11 千字

ISBN 978-7-01-017941-4 定价:2.50 元

邮购地址 100706 北京市东城区隆福寺街 99 号
人民东方图书销售中心 电话 (010)65250042 65289539